L'ENVOLEE MAGIQUE

MADELEINE HERRMANN

L'ENVOLÉE MAGIQUE

Collection

« la poésie la vie »

EDITIONS SAINT-GERMAIN-DES-PRES

68, rue du Cherche-Midi - 75006 Paris

édition originale

PROLOGUE

Ce recueil de poèmes est un enfant de l'amour.
L'amour d'une Américaine née en France pour un Pari-
sien rencontré lors d'un voyage retour au pays natal,
amour consumé brièvement un été, vécu ensuite passion-
nément à travers un échange de lettres et de coups de
téléphone entre Paris et la Californie pendant l'année
suivante. Ce ne fut pas une rencontre banale, en surface,
mais celle de l'essence du féminin et du masculin qui,
tout à coup, s'affrontaient, en profondeur, sans bien
comprendre ce qui se passait. Mon intuition féminine
réceptive avait rencontré cet homme gardé, pragmatique,
rationaliste, qui avait « combattu » toute sa vie, apeuré
(mais grandement intrigué) et qui ne pouvait s'abandonner à l'amour... J'ai voulu sonder ses mystères, tout en
suivant, dans ma douleur, les fluctuations de ses réticen-
ces, tandis que je devinais la sensibilité extrême cachée
derrière chacune de ses lignes merveilleuses d'abandon
protégé, et chaque fois que je descendais en moi, pour
appréhender l'essence de ce qu'il exprimait, par des mots
étudiés, un poème naissait, ma fontaine coulait en foi

audacieuse, joie et amour, me découvrant, à la fois, à moi-même, dans l'acceptation complète d'un autre.

J'étais partie de France, rebelle, il y a longtemps, et je ne l'avais jamais « embrassée » à nouveau. A travers cet homme que j'apprenais à aimer en le découvrant, je redécouvrais en même temps la partie manquante de mon âme, si longtemps oubliée, si longtemps refusée. Je m'acceptais dans ma totalité, des parties de mon enfance émergeaient à travers lui ; des petits morceaux de moi-même s'intégraient dans l'apprentissage de cet amour extraordinaire.

Quels éléments puissants ont contribué à cette analyse ? Retour aux racines françaises ? Paix avec le père ? Synthèse de mes polarités ? Sublimation créatrice d'une intensité profonde ? Sait-on jamais ce que comporte l'amour dans son alchimie étonnante... Devant cette émotion, la plus belle du répertoire humain, je m'incline, chavirée, ayant accédé à un petit coin d'infini...

(Walnut Creek, Californie, 1985)

Perhaps a great love is never returned. Had it been given warmth and shelter by its counterpart in the Other, perhaps it would have been hindered from ever growing to maturity.

It « gives » us nothing. But in its world of loneliness it leads us to summits with wide vistas of insight.

Dag Hammarskjöld, Markings, 1950

Tout doucement, j'ai osé,
mis mes peurs de côté, mes doutes,
et ouvert grand le lotus de mon cœur.
A nu, tremblant, il considère :
est-il trop tôt pour dire « je t'aime » ?

Les jours disparaissent, le passé,
fondus dans mon être présent
oublient le temps. Je renais
au feu nouveau qui m'anime.
Mais non, il n'est pas trop tard !

Toi et moi, maintenant,
abolis l'espace et le temps,
je vis, je danse, je flotte aussi,
donne-moi la main, mon chéri,
je t'aime, je t'aime, je t'aime aussi...

AWAKING THE HEART OF AN OLD GENTLEMAN

If you think it's easy
to conquer a summit,
if a task is for you
no secret, no hard way,
if you want a challenge
like you have never met,
try waking up the heart of an old gentleman.

Its petals are held tight,
though the light penetrates,
years have invited in
a guard to keep the fight
who, if you succeed near
will gently keep you far
from the heart of the old gentleman.

You can write him all night,
woo him much, hold him high,
you can bare your whole heart,
what will ever be right ?
So you sigh and wonder,
what will ever conquer
the heart of an old gentleman ?

Keep shining the bright light,
which gently penetrates,
try the warmth of autumn,
the sweetness of your touch.
Your passion set aside,
will tenderness soften,
the heart of the old gentleman ?

No secret do I have,
it's a matter of time,
that he knows who you are
the beauty of your heart...
and the depth of your soul
will perhaps wide awake,
the heart of your old gentleman.

Nos pensées sont les fils
qui tissent nos lendemains.
Pour toi, je choisis
des fils d'or,
des fils d'argent
et de toutes les couleurs
je veux tisser des montagnes,
des rivières, des soleils,
des mers d'azur,
avec aussi des oiseaux
et des fleurs.
Je veux attacher les fils
aux ailes de mon amour.
Je veux tisser un nous si beau,
le repos après la tempête,
ton cœur, le mien,
ouverts, unis,
la joie, la vie,
à l'infini...

Du fond de la vie
qui coule dans mes veines
un liquide brûlant,
je t'aime.

Du fond de mon cœur
qui entoure ton être
d'une infinie douceur,
je t'aime.

Du fond de mon âme
qui rejoint la tienne
à travers le temps,
je t'aime.

Du fond de ce rêve
où nous sommes unis
âme, cœur et vie,
je t'aime, mon chéri.

Spectateur émerveillé
qui rêves de la scène,
tu applaudis frénétiquement
avant de rentrer chez toi...
Oh, combien de promesse,
combien de désir caché,
d'élan, d'amour,
d'abandon de toi,
dois-tu contenir
avant de refermer ta porte.
Est-il si effrayant
de monter sur les planches ?
Le souffleur t'a-t-il, autrefois,
laissé tomber, ridicule ?
Oublie les lignes
du scénario connu,
apprises sur les bancs de l'école,
les plus belles ne sont-elles
celles qui viennent du fond de toi
et se moquent de la règle
des trois unités ?
Ne les sens-tu pas là ?
emprisonnées dans tes applaudissements frénétiques,
emprisonnées en toi,
spectateur émerveillé
qui rêves de la scène...

Amoureuse pour deux,
baignant dans l'extase,
j'ai saisi l'Energie aux deux bouts
et j'ai rencontré, tête première,
ton inertie bienveillante...
Mes œillères merveilleuses
étaient légères à mes yeux,
tandis que mon âme
s'en donnait à cœur joie
et coulait des fontaines...
qu'ai-je fait, pauvre de moi,
que n'ai-je su lire
que j'étais l'Amie
quand tu étais l'Amour.
Ai-je forcé dans sa retraite
l'enfant timide qui à peine
se réveillait,
dérobant la puissance
que je lui voulais transmettre ?
Le lac débordant de gaîté,
a-t-il simplement éclaboussé la montagne,
sans savoir l'enrichir de son eau précieuse ?
Oh, que ne puis-je endiguer
cette intensité qui m'anime
et qui me mine,
marcher à côté, silencieuse,
écoutant le rythme de toi.
Que ne puis-je savoir t'aimer !

SOLSTICE D'HIVER

L'attente est longue...
je danse ma peine,
mon désir, mon amour,
en spirales.

La solitude me pèse...
j'écris mon âme,
mon ventre, mon cœur,
en fontaines.

La foi m'anime...
je tisse mes pensées,
mes espoirs, ma joie,
en lendemains.

L'Univers coule...
j'abandonne mes rênes,
mes écluses, mes digues,
à son flot.

Et quand le soleil
atteindra son point
le jour repartira doucement
dans l'autre sens,
en attentes, spirales, solitudes et fontaines,
en lendemains coulant
avec l'Univers.

SOLEIL D'HIVER

Plus doux que le soleil d'Avril
capricieux
qui me tire, ci-et-là,
qui m'emmène en haut et en bas,
qui rit qui pleure
et qui s'en va,

Moins chaud que le soleil d'Août,
pesant,
qui m'arrête et m'alourdit,
aveuglée, assoiffée, assoupie,
qui demeure
et qui s'établit,

Plus près que le soleil d'Automne,
distant,
qui m'intimide et m'impressionne,
apeurée, ravie, étonnée,
fascinée par autant
de beauté,

Soleil d'Hiver,
lumières tamisées et filtrées,
j'ose regarder à travers ma brume,
je suis protégée,
je discerne mieux
dans le doux coton du nuage
qui t'irise.
Tu me permets la pause
avant le retour,
j'hiberne,
dans la douceur de tes rayons.
Soleil d'Hiver,
la pause,
la promesse.

Waiting... exquisite torture,
climbing a mountain
under a radiant sun,
with the shining summit
so near.

Oh, let me keep sight
of the bright peak,
the journey is sweet,
let me not see the abyss
below.

My muscles be not taut,
my heart soak in the light,
my foot joyfully touch,
let me enjoy
the climb.

River give me your flow
wind caress me gently,
birds sing me of my love
in that foreign country
of mine.

Everything is melting,
climbing a mountain
under a radiant sun,
blending into myself
waiting... exquisite torture.

LA FONTAINE SACREE

On dit que si vous faites le voyage,
les yeux mi-clos, le cœur ouvert,
par monts, par vaux et par rivières,
printemps, été, automne, hiver,
un jour, vous la découvrirez...

Les pèlerins se précipitent
ou lambinent le long du chemin,
s'arrêtent et se donnent la main,
s'en retournent, peut-être demain ?
Les plus vieux sont découragés...

Tous savent cependant que là-bas,
quand ils arriveront au bout,
les morceaux se fondent en un tout,
l'eau sacrée a un goût très doux,
et tous les maux sont oubliés...

Arrêtez, ne marchez plus loin,
écoutez en vous, regardez,
descendez, sans peur, aimez,
et là, tout près, vous trouverez,
la source de la fontaine sacrée...

Ta graine a germé
dans mon sol exotique
du nouveau monde,
en fougères et en fleurs tropicales
le long de rivières profondes.
Dans l'humus chaud et mouillé
elle a poussé une forêt vierge
remplie de chant d'oiseaux,
des orchidées couvrant les lianes,
des senteurs remplissant l'air...
Ta graine a germé
dans mon sol grand ouvert.

Ma graine est tombée
sur ton sol désertique
de l'ancien monde,
blasé, rocailleux, réfractaire,
dans la terre en jachère
elle a cherché
un puits, une fontaine,
elle a erré, regardé,
ausculté, promené
sa baguette de sourcier.
Ma graine est tombée
sur ton sol fermé.

Quand nous nous sommes rencontrés,
nos graines se sont échangées.
Mon chéri, l'avais-tu oublié ?
loin de toi la tienne a germé,
et la mienne, assoiffée,
dans tout son amour attend
la merveille du désert
au printemps.

« Madeleine, avale tes larmes,
écoute et tiens-toi droite,
tu peux faire mieux que ça »
et la petite fille de six ans
n'a pas cessé d'essayer...
s'était-elle promis
de lui prouver
qu'il pourrait l'aimer ?
Elle a soulevé des montagnes,
des prix, des médailles
pour le mériter,
et les hommes l'ont regardée
s'évertuer,
et les hommes l'ont admirée
sans l'aimer
alors, pour le gagner,
c'est elle qui l'a donné
sans compter
elle est si fatiguée...
la petite flamme
a brûlé, brûlé...
Comprendra-t-elle enfin,
l'amour n'est pas gagné,
mais l'amour est donné.

L'homme de guerre a posé ses armes
à la porte de son cœur.
Son armure défaite
sa lance désuète
soudain, il a peur...

Les années de batailles
défilent dans sa tête
ravivant la victoire
et goûtant la gloire
il revit la fête.

Il veut repartir
repartir en guerre
son pilum lancé
prêt à avancer...
mais il tombe à terre.

Dans le cycle infernal
dans le cercle vicieux
la lumière n'entre pas.
De ce jeu il est las,
fatigué, il est vieux.

La guerre seule il connaît
il a peur d'autre chose,
aveuglé de lumière
il baisse sa visière
il attend et il pause.

Son cœur s'ouvrira-t-il ?
la nouvelle frontière,
ciel ouvert, terre promise,
merveille après les larmes
et où la lumière tue la peur...
l'homme de guerre a posé ses armes
à la porte de son cœur.

Horizons nouveaux
aux dimensions inespérées,
pays magiques enfin accessibles
et qui enchantez la pensée,
vous défilez dans la lumière,
tandis que se sauvent effrayés
les cafards,
dans les coins noirs des habitudes...
Rêves lancinants,
insectes puissants,
qui vous livrez bataille
au seuil du nouveau palier,
quels seront les morts et les blessés
sacrifiés
sur l'autel de la plénitude ?
La tragédie de l'Amour se situe-t-elle
dans le refus de s'abandonner
par peur de se perdre,
ou dans la peur de se trouver
en s'abandonnant ?

CREDO

Sourcier magique,
doux et timide amour,
je crois en toi...
ne vois-tu la baguette
si tendrement pointée
vers mes fontaines,
toi qui crois en moi,
toi qui doutes de toi,
et pourtant, ne vois-tu pas
que sans toi
les fontaines ne couleraient pas ?
sourcier magique,
doux et timide amour
en qui je crois...
que ne crois-tu en toi !

Les jeux sont faits
au creuset de l'amour
les données établies
les sentiments jetés...
Ils se broient, se mesurent,
s'entremêlent, étonnés,
ils respirent un moment,
leur faudra-t-il longtemps
pour se voir transformés ?
L'alchimie est puissante,
la synthèse inconsciente
et long le procédé...
Le mystère éclairci,
l'or sera-t-il tendresse,
infinie, pour toujours ?
Les jeux sont faits
au creuset de l'amour.

« Merveille » tu m'as appelée...
regardant de loin
avec de grands yeux ébahis,
comme on regarde un objet
intouchable...
Le merveilleux
est-il réservé à un autre
plus méritant que toi ?
Oh, tristesse infinie,
horreur, ironie du destin,
que celle devenue merveille
pour mériter ton amour
rencontre ton refus d'accepter
ce que tu crois ne pas mériter.
Un camélia blanc a frémi
dans la brume hivernale
du petit matin...

PROJET CALIFORNIE

Sur le bureau de l'homme d'affaires
un tout petit dossier
caché
dont il sort, de temps en temps,
un rayon de soleil.
Mais l'homme d'affaires ne peut s'y arrêter
car il n'est pas sérieux
de rêver,
alors il classe le petit dossier
« oublié »
dans le tiroir le ferme à clé
et reprend le travail sérieux qui fait des hommes
                                        d'affaires
les héros du jour...
Mais le soleil lui a manqué,
qui son cœur avait réchauffé,
alors, il a tourné la clé,
a sorti le petit dossier,
et d'un tampon l'a estampillé
« urgent »
Oh merveille ! la lumière,
le soleil ! l'or caché
dans les mines du cœur
et qu'il n'avait plus espéré...

Nouveau héros
d'une nouvelle guerre
qui en lui s'est livrée
et où le cœur a triomphé
après la traversée.
« Projet Californie »
le plus petit, mystérieux,
le plus précieux dossier.

LA PEUR D'AIMER

Au bord du précipice
tu fermes les yeux,
agrippant ton curriculum vitae
et refermant ton cœur
qui chavire.
Les poteaux indicateurs
t'aiguillent vers les sentiers sécurisants
du labyrinthe étudié
où tu ne peux te perdre.
Tu cours, à bout de souffle...
« reviens-reviens » chante l'oiseau bleu,
seigneur du gouffre mystérieux,
regarde, ouvre les yeux.
Quelle est la chose la plus horrible
qui puisse t'arriver
si tu décidais de sauter
sinon de t'envoler ?
l'as-tu jamais essayé ?
Tu verras de l'aute côté,
lorsque tu auras pris pied,
comme tout pour toi sera changé
quand tu te seras retrouvé....
As-tu peur de tomber ?
Viens, je suis là,
l'amour t'aidera,
avec moi tu t'envoleras.
Alors, va-y... un, deux, trois...

LE REVE D'AMOUR

Dans ce rêve je m'abandonne...
Oh, la douceur de la reddition
après la bataille inutile,
glissant mollement, sans réserve,
vers l'autre, bras tendus,
flottant sur ces nuages
qui défilent devant mes yeux,
tandis que du plus profond de mon être
montent des ondes qui rayonnent
ouvrant chacune de mes veines,
chacun de mes pores
à l'amour.
Dans ce rêve je savoure
ma liberté, mon désir profond d'être,
je me permets l'accès
au moi sous-jacent,
le moi profond
qui me propulse vers l'autre
dans les limbes de la plénitude,
me donnant intimement,
acceptant totalement,
retrouvant la partie de mon âme
qui manquait à l'autre...
Nos rêves tissent-ils
l'étoffe de la réalité ?

Leur énergie puissante transforme-t-elle
la pensée intangible
en l'autre dimension, vécue,
ou la peur de cet inconnu qui pourrait être
et que nous désirons,
triomphe-t-elle, résignante, nous repoussant vers le
familier,
médiocre mais rassurant ?
Oh, le mystère de l'amour
dans sa création
vers l'œuvre sublime :
l'expansion de soi,
poussée profonde
sur la route de l'éternité.

LE REVE

Un fil, qui s'échappe
de la robe de tous les jours,
accroche au passage un tapis volant,
qui l'emmène hors du temps,
tout en la débobinant...
et le fil s'envole vers les pays
des mille et une nuits,
vers ces paradis
inconnus dans la vie.
Quelquefois les fils s'embrouillent,
se nouent et il faut les couper,
mais parfois aussi ils tissent,
une robe de toute beauté
et qui est prête à porter
dans la réalité.
Partez, volez, rêvez...
pour que les lendemains
soient à votre portée.

ENTR'ACTE

Et si ma source s'arrêtait de couler,
m'aimerais-tu,
stérile et désertique ?
M'aimerais-tu à l'entracte, dans les coulisses,
essuyant les gouttes de sueur ?
Assise devant le papier blanc,
ma peur inhibe ma plume
tandis que le Phœnix, hautain,
regarde le moineau dans la glace...
Lui demandera-t-il
de le remplacer
à l'aile levée,
tandis qu'il répète la dernière scène,
celle qu'il n'a jamais jouée...
Quand le moineau entrera,
tu le reconnaîtras,
il est petit, fragile,
il a besoin d'un micro...
mais son cœur est pur
et sa tête dans l'azur.

Aimer,
c'est écouter ton rythme,
tandis que je bats le mien
fidèlement.

Aimer,
c'est regarder la forme de ta vie
tandis que je dessine la mienne
différemment.

Aimer,
c'est tisser nos lendemains
sur des trames parallèles
laborieusement.

Mais, oh, miracle,
lorsque nos mélodies, nos couleurs, nos dessins,
se rencontrent et se fondent en un tout,
à travers l'espace et le temps,
tendrement,
amoureusement...

Pour toi,
je me suis déshabillée
dans la chambre sous le toit
et mon corps a reçu le tien,
deux étrangers
soudain liés.

Pour toi,
j'ai ouvert mon cœur
dans la douceur de l'automne
et ma fontaine a coulé,
deux amoureux
se sont cherchés.

Pour toi,
j'ai conté ma peine
à travers deux continents
et tu m'as conté la tienne
deux âmes
se sont retrouvées.

Où en sommes-nous
après la longue attente,
jouerons-nous la scène
si souvent répétée,
en silences, en rêves,
en tendresse et en larmes ?
demain...
demain...
veux-tu l'essayer ?

Si tu te regardais
à travers mes yeux
le temps disparaîtrait de ton visage,
et seul demeurerait
ton tendre sourire au milieu.

Si tu te regardais
à travers mes yeux,
l'amour enfoui monterait de ton cœur,
timide et innocent,
merveilleux sous sa peur.

Si tu te regardais
à travers mes yeux,
dans le fond de ton âme quels trésors verrais-tu,
rêves inespérés
plénitude inconnue.

Tu oublierais le blâme
des juges familiers
le remords et le doute,
tu lirais au miroir
l'amour, la joie, l'espoir,
comblé et silencieux,
si tu te regardais
à travers mes yeux...

L'amour,
enfermé dans le cœur,
un bourgeon prêt à éclater
en fleurs...

SNEAK PREVIEW

Le printemps, déjà ?
Tout d'un coup il éclate
en daphnés et en mimosas !
surprise... je constate,
si tôt, je ne l'attendais pas.
Partout...
dans l'air,
sur les branches,
il s'infiltre en sève
et en cris d'oiseaux,
merveilleuse avalanche
née du plus beau des rêves !
Mon Dieu, comme c'est beau !
Ma joie bondit,
le chaud soleil m'entraîne,
je rejoins les oiseaux et les fleurs
je fais partie de ce doux phénomène,
moi aussi,
et toi, là, dans mon cœur.

Comme la société est bizarre.
Vous aimez, on sourit de votre naïveté,
vous êtes content, on vous juge simple,
généreux, vous devenez suspect,
si vous pardonnez, vous êtes faible,
confiant, on rit de votre stupidité,
si vous êtes tout à la fois, c'est pire encore,
vous ne pouvez qu'être fumiste.
Mon dieu, suis-je si naïve,
simple, faible et stupide,
de croire à l'amour à mon âge ?
ou, est-ce vous qui me dénigrez,
simplement parce que... vous m'enviez ?

A L'AEROPORT

Tu me regarderas,
je te regarderai,
dans mes yeux tu liras
l'amour, la longue attente,
dans les tiens je verrai
un soupir de détente..
Etrangers à nouveau,
pendant quelque minutes
il faudra oublier
nos écorces humaines,
nos âmes hésiteront
inattendu problème,
car comment instiller
dans ce précieux moment
tout l'amour enfermé,
si profond, si longtemps.
Peut-être alors le cœur
d'instinct nous dictera,
et oubliant ma peur
je fondrai dans tes bras.

Ta voix, au téléphone,
et le monde pour moi
arrête d'exister,
je balbutie, j'ânonne,
ce que j'avais à dire
je l'ai tout oublié...
Je ne sens que mon cœur
grand ouvert, vulnérable,
il hésite, il a peur,
comment exprimer l'ineffable ?
et tandis que tu parles
à mes sens extasiés,
de loin, j'entends,
ton cœur fondant derrière son bouclier.

Papa disait toujours
« l'heure, c'est l'heure »
et toute la maison
se mettait à trembler.
Vite, on abandonnait,
rangeait, fermait, courait,
puis on se retrouvait
dans la salle à manger.
Et ainsi, ai-je appris,
dans ma plus tendre enfance
que jamais il ne faut
oublier l'heure sacrée...
Et depuis j'ai couru
devant les échéances,
obstinée, résolue,
résignée, harassée...
Mais l'amour m'a appris
à vivre pleinement,
minutes et secondes,
au lieu de l'heure, sonnant.
Je pars à la rencontre
du temps le plus petit,
et remonte ma montre
comme Salvador Dali...
Papa disait toujours
« l'heure, c'est l'heure »,
n'avait-il pas compris ?
tout l'heurt de l'heure,
qui leurre la vie ?

Je suis enceinte de l'amour
qui au fond de toi sommeille
attendant de voir le jour,
j'en sens toute la merveille...
Il croît en moi protégé,
des plus dures intempéries,
vois-tu venir ce nouveau-né
plein de douceur, plein de vie ?
Dans mon sein il grandira,
déjà à nous il ressemble,
et quand il apparaîtra,
nos cœurs se fondront ensemble.

LE TEMPS D'AIMER

Je regarde ma vie passée
dans un tourbillon de temps,
en montées prodigieuses,
en vallées douloureuses,
propulsée en avant.
J'y vois cette intensité,
indomptée, inconsciente,
qui m'entraînait, armée,
le long de cette pente.
Aujourd'hui, arrêtant
la course frénétique,
tout en moi je descends,
j'écoute ma musique.
J'y ai trouvé l'amour,
si longtemps enfermé,
qui soulève les voiles,
me montre les étoiles,
je prends, le temps, d'aimer.

Vas-tu abandonner, résigné,
ce que tu n'espérais plus trouver,
après l'avoir cherché
toute ta vie ?

Ne connaîtras-tu de l'amour
que l'illusion, la recherche,
le remords, le goût amer,
sans en avoir jamais goûté
la plénitude ?

L'autre partie de toi
que ton âme appelle
la laisseras-tu enfin
se joindre à la tienne
au bout du chemin ?

Sais-tu les merveilles
de tendresse et d'amour
qui sont là, prochaines,
sais-tu la joie qui t'attend,
sais-tu combien je t'aime ?

Tu m'as dit « ne me force pas ».
J'ai écouté ta voix émue,
et, descendue au fond de moi,
une image m'y est apparue :
c'était celle d'un petit oiseau,
merveilleux, apeuré, fragile,
et dont les deux ailes graciles
étaient tenues dans un étau...
Tu m'as dit « ne me force pas ».
Ai-je dans mon intensité,
mon chéri, refermé sur toi,
deux mains prêtes à étouffer
qui ne voulaient que caresser ?

SI TOI AUSSI TU T'ABANDONNES...

Je me suis enivrée de toi,
j'ai bu cette coupe à longs traits,
fermant les yeux, brûlant de foi,
chantant qu'un jour on s'aimerait !

Si tu me verses un second verre,
le boirai-je jusqu'à la lie,
tituberai-je dans l'ornière
ivre morte de poésie ?

Que ne peux-tu goûter aussi
cet élixir que tu me donnes,
sentir la douce griserie
de toi aussi, qui t'abandonnes...

Que ne peux-tu descendre au fond
de tout ton amour enfermé,
bien caché, comme un limaçon,
l'amour, qui le philtre a versé !

Mes heures méandrent sans fin
dans la vallée de l'attente
coulant vers un pays lointain
tandis que mon cœur patiente.

CALIFORNIE

Terminus du rêve doré,
dernier bastion de l'Occident,
poussée déchaînée, indomptable,
dans la ruée formidable
vers ton rivage espéré,
ici, tout le monde descend...
La barrière du Pacifique
arrêtant ton fougueux élan,
dans un creuset bénéfique
te concasse éternellement.
Broyant tes os linéaires
contre les parois de ciment,
tu sens le mystère séculaire,
tu bois la potion de l'Orient :
ondes venues d'un autre monde,
infiltrant l'air ensoleillé,
de leurs intuitions profondes,
à Esalen ou à Berkeley.
Le temps s'arrête, l'espace hésite,
devant ta beauté, ébahi,
le monde entier se précipite,
il sent ce qui est incompris.
C'est tout l'or nouveau recouvert,
qui prépare en toi, concevante,
dans tes entrailles envoûtantes,
la synthèse des hémisphères.

JUSTE MILIEU

En discussions interminables,
nous restons sur nos positions,
chaque argument a ses raisons
chaque raison est concevable.

Ou alors, mus par nos instincts,
au sexe nous abandonnons
et dans l'orgasme, oublions,
que notre corps a une fin.

Est-ce la peur du nucléaire
qui nous fait ainsi osciller
entre ces deux extrémités
et leurs réponses éphémères ?

Peut-être avons-nous oublié,
qu'entre l'intellectualisme
et la fonction de l'érotisme,
il existe un arbitre inné :

Source de vie et d'allégresse,
celui qui pourrait nous sauver,
le cœur, à mi-chemin planté,
entre la tête, et les fesses...

ROOTS

Oublie-t-on jamais ses racines,
oublie-t-on ce qu'on a été
tandis que l'on se redessine
loin du pays ou l'on est né ?

Partie en rebellion, j'examine,
mes espoirs, mes travaux, mes montées,
attirée vers le rivage ultime,
douce illusion de l'éternité.

Enfant prodigue à grande échelle,
j'ai couru par le monde entier,
parlant en des langues nouvelles,
explorant chaque société.

Après la recherche profonde
qui si loin de moi m'emmenait,
je suis citoyenne du monde,
mais mon cœur s'exprime en français.

LA COMBINAISON

Devant mes yeux, ils défilent,
tous les mots du dictionnaire,
se bousculant, pêle-mêle,
grouillant dans ma tête...
En voilà un grand, tiens, un beau,
mais qu'est-ce qu'il veut dire ainsi
tout seul, tout froid, tout perdu ?
et celui-là qui ne rime à rien ?...
Ils font une vraie salade là-dedans,
ils me cognent aux tempes,
ils me rient au nez : Ah ! Ah ! Ah !
Et pourtant, dans cette confusion,
il existe quelques mots tout bêtes,
tout petits, tout simples,
qui par leurs combinaison
feraient basculer la porte de ton cœur !
Comme un gangster inexpérimenté
je joue avec la serrure,
espérant un miracle.

Quand les autres t'écoutent à peine,
sais-tu, moi, je t'ai entendu,
de tes joies, silences et peines,
tout au fond je suis descendue.
Le temps passe, la distance,
me rapprochant de ton cœur,
oublie la vie des convenances,
l'essentiel est à ma hauteur.
Je vis tes reculs, tes appels,
je me sens triste ou je souris,
je sais maintenant qu'on appelle
cette communion : être amis.

Silence
intense
qui lance,
je sens ma souffrance,
me pèse l'absence.

Patience
confiance
qui panse,
je sens ta présence,
me baigne l'essence.

Distance avance,
croyance compense,
vaillance s'élance,
à toi je pense.

L'ENVOLEE MAGIQUE

Un an d'amour,
un an d'attente
Avec toi j'ai gravi la pente
et les yeux fixés sur les cimes,
sans fléchir, j'ai chanté mes rimes...

Mon cœur a connu les extases,
les espoirs, les plus beaux des rêves,
de l'amour j'ai vécu les phases
et la foi j'ai gardé sans trêve.

Loin j'ai cherché,
interrogé,

et dans ma tendresse infinie
le mystère de toi, j'ai compris,
l'amour a inondé ma vie.
Non, il ne faut rien regretter,
mon doux chéri, mon bien-aimé,
car si tu m'avais exaucée
me serais-je aussi haut envolée ?

Oh ! que ma joie demeure !
Qu'elle inonde ma vie,
qu'elle enchante mes heures
d'un amour infini...

Que je trouve en moi-même,
quand se forme l'orage,
la source d'un poème
transformant le nuage.

Que chaque solitude
mes forces accablant,
trouve la gratitude
en un soleil couchant.

Que je puisse connaître,
que je puisse imprimer,
tout au fond de mon être,
combien je t'ai aimé...

ACHEVE D'IMPRIMER EN JANVIER 1986 SUR LES
PRESSES DU CASTELLUM, 8, RUE DE BERNE A NIMES
N° d'éditeur 3701 I.S.B.N. 2-243-02793-3 Dépôt légal 1e tri. 1986